Y0-CDN-901

冰雪奇缘

童趣出版有限公司编译　人民邮电出版社出版
北　京

艾伦戴尔是一个遥远的北方王国，那里群山怀抱，绿水环绕，是个既忙碌又快乐的地方。每到入夜时分，绚烂的北极光轻柔地抚摸夜空，为美丽的王国披上一层多彩的薄纱。

在这个富饶的国度，人民平安喜乐，但国王和王后却有着不为人知的烦恼。

国王和王后的大女儿爱莎有着非凡的魔力，她能轻而易举地把东西冻住，还能用冰雪制造各种奇幻的景象，而这一切只需要她简单地挥挥手！

　　小女儿安娜是姐姐的贴身"小跟班儿"。一天晚上，安娜说服姐姐和她一起溜进王宫大厅，她们在那里制造了一个银装素裹的"冰雪小世界"！

正当她们玩得兴高采烈时，爱莎不小心用冰雪魔法击中了安娜。安娜猛地摔在地上，冻得不省人事，头上的几缕头发竟然变成了雪一样的白色！

爱莎吓坏了，赶紧大声呼救。

　　国王和王后听到呼救声连忙赶来，他们带着昏迷不醒的安娜和一言不发的爱莎来到了地精居住的地方。神奇的地精懂得各种魔法，能够治愈魔法所带来的伤害。

　　一位睿智的老地精若有所思地看了看安娜，说他可以帮助她好起来，但前提是必须消除她记忆中有关姐姐使用冰雪魔法的所有片段。同时他还告诉他们，爱莎的魔力会逐渐增强。

　　"她的魔法可以制造美丽的幻境，但同时也会带来意想不到的危险。"地精慢悠悠地对国王和王后说，"她的敌人就是自己内心的恐惧。"

回到艾伦戴尔王国之后，国王和王后锁上了城门，与外界隔绝。这样就没有人会发现爱莎的秘密了。

姐妹俩也不再像从前那样亲密了。当爱莎独自学习如何控制魔力的时候，安娜只能一个人孤独地玩耍。

　　只要爱莎的情绪有波动，魔法就会自动施展出来。国王给了爱莎一副手套，来帮助她控制魔力。但爱莎仍然很担心，总怕自己会无意间伤害到别人。为了保证妹妹平安无事，她甚至不再接近妹妹。

安娜很想念姐姐。年复一年，她总是不停地邀请姐姐和她一起玩，可爱莎总是说自己很忙。

有一年，不幸的事情发生了。当两个女孩成长为亭亭玉立的少女的时候，国王和王后却因为一场大风暴而葬身大海。没有了爸爸妈妈在身边，孤单无助的两姐妹从此变得更加疏远了。

时光飞逝，爱莎即将成年，她必须要担负起一项重任——成为艾伦戴尔王国的女王。在一个明媚的夏日，封锁已久的城门终于打开了！人们都兴高采烈地拥进城里等着观看女王的加冕礼。

安娜满心欢喜地跑出了城，她终于能认识城堡外面的人了！而且，说不定，她在这宝贵的一天中还有机会遇见自己的"白马王子"呢！

可是，爱莎心里却十分担忧。作为众人瞩目的焦点，自己万一一紧张，魔法又不小心释放出来了可怎么办呢？那样她的秘密就会被大家发现了。

　　安娜在王国里尽情游览、玩耍。这些年无聊的城堡生活可把她憋闷坏了。这时，一位帅气的来宾——来自南方小岛的汉斯王子不小心骑马撞到了安娜。这场偶遇让安娜和汉斯很快就对彼此产生了好感。

　　加冕礼上严肃的气氛让爱莎感到十分有压力。到了移交圣物的环节，爱莎必须摘下手套去拿象征皇权的金球和权杖。她心里紧张极了，一直期盼着上天保佑自己平安完成典礼，千万不要突然施出魔法把圣物冻住。

　　此时此刻，安娜正站在爱莎身边，偷偷地望着汉斯呢。

　　在加冕礼舞会上，安娜和汉斯度过了愉
快的夜晚，他们尽情地笑啊、跳啊，不停
地聊着天。

　　"也许这就是一见钟情吧！"安娜想。
接着，汉斯竟然向她求了婚！幸福来得太
突然了，安娜红着脸立刻答应了。

安娜连忙跑去告诉姐姐这个好消息，但爱莎的反应却不如她所愿。"你不能嫁给一个你刚认识不久的人啊！"爱莎生气地说。

　　"当然能，因为这就是真爱！"安娜坚持道。

　　"我不同意！"爱莎坚定地回答道，"我是绝对不会同意这场草率决定的婚姻的。"

　　爱莎转身就要离开舞厅，可安娜一把抓住了她的手，而且还一不小心拉掉了爱莎的手套。

　　安娜开始不停地抱怨："你为什么总是否定我、冷落我、疏远我、对我的好意不理不睬？我……我再也不想这样下去了！"

“够了！”憋红了脸的爱莎突然大吼一声。

接着，一道冷光从爱莎的手心发射出来，尖锐的寒冰顿时冻住了整个舞厅！所有在场的人都惊得目瞪口呆。

　　看到此情此景，爱莎含着眼泪，头也不回，飞快地跑出了王宫，她害怕自己会伤害到别人。"都离我远点儿！"她一边跑，一边对城堡里的人喊道。

　　爱莎疯狂地奔跑着，所有她接触到的东西都变成了寒冰。当她跑向海湾，踏上水面的时候，脚下的海水都冻成了冰。寒冰不断向四周扩散，把所有的船都冻在了海湾里！

　　寒冰自动蔓延开来，布满了整个王国，市民们开始不安地骚动起来。安娜这下终于明白，爱莎这么多年都不愿意和自己亲近的原因了。
　　安娜把艾伦戴尔王国托付给汉斯，自己骑上马去追爱莎。她要把姐姐找回来，想办法让姐姐把寒冰融化，拯救整个艾伦戴尔王国。

就在这个时候，满腔委屈的爱莎爬到了山顶上。那里荒无人烟，她不需要顾忌任何人。她将这么多年来压抑的苦闷在这一刻完全释放出来，尽情施展着魔力，制造出各种冰雕、雪人、大风暴，甚至还为自己换上了一身冰雪纱袍。

　　在接近山顶的地方，爱莎用魔法制造了一个水晶般的冰雪宫殿。她感觉自己终于找到了自我。虽然她现在仍是孤身一人，但是心中却散发着淋漓尽致的痛快——那是一种实现自我存在意义的快乐。

　　而此时此刻，安娜只想快点儿和姐姐见面。既然爱莎的秘密已经被大家知晓了，她们就又可以像原来那样亲密地在一起了！

　　暴风雪让安娜寻找姐姐的旅途变得格外艰难，而且安娜的马还因为受到惊吓，把她扔到雪地里自己逃走了。安娜从雪地里爬起来，欣喜地看到不远处有个小木屋。在这个"流浪奥肯雪中贸易站兼桑拿房"中，安娜购买了长靴和保暖的衣物。

　　这时，一位名叫克斯托夫的年轻人步履艰难地走了进来，他是个采冰人。他郁闷极了，这场突如其来的暴风雪害得他没了生意。克斯托夫说，这场暴风雪来自北山。听到这话，安娜不停地缠着他问各种问题，想从中打探到关于姐姐的消息。

　　安娜为克斯托夫和他的驯鹿购买了一些补给品,她恳请克斯托夫带她登上北山。

　　在安娜的软磨硬泡下,克斯托夫终于同意了:"明天天一亮我们就出发!"

　　"不行!"安娜说,"我们现在就走!"

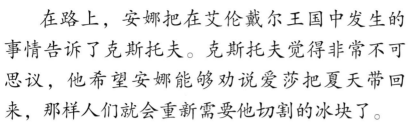

　　在路上，安娜把在艾伦戴尔王国中发生的事情告诉了克斯托夫。克斯托夫觉得非常不可思议，他希望安娜能够劝说爱莎把夏天带回来，那样人们就会重新需要他切割的冰块了。

　　突然，他们听到狼嚎的声音！

　　安娜协助克斯托夫对抗狼群，可是，狼群把驯鹿斯特逼到了峡谷边，斯特只有奋力跳过悬崖才能得救。于是，他纵身一跃，雪橇撞击在岩石上，摔了个粉碎。不过好在安娜、克斯托夫和斯特都平安无事。

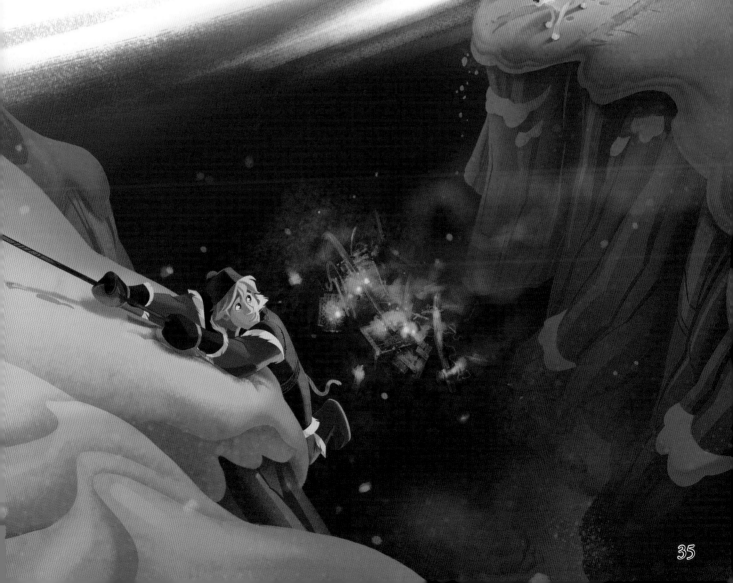

　　逃过一劫的一行人继续前进。到了第二天破晓时分，安娜和克斯托夫终于看到了在远方山脚下若隐若现的艾伦戴尔王国。看到整个王国仍然处在冰天雪地之中，他们感到非常沮丧。

　　朝树林深处走去，他们看到了爱莎用魔法为这里制造的一片神奇的景象。

　　"我从来也没想过冬天也能……这么美丽……"安娜吃惊地感叹道。

　　"可是到处都白茫茫的……"一个声音响起，"增添点儿颜色多好啊！我想要是有深红色或是黄绿色就完美了！"在他们身后出现了一个活生生的

　　雪人！"我叫雪宝！"他兴奋地自我介绍着，原来他就是爱莎与安娜儿时一起玩雪时堆的那个小雪人呀！

　　安娜请雪宝带他们去找她姐姐。"我们需要爱莎把夏天带回来！"她说。

　　"我一直都很喜欢夏天，"听了安娜的话，雪宝陷入了无限遐想中，悠悠地说着，"温暖的阳光照在我脸上，把我的皮肤晒成健康的小麦色……"可安娜和克斯托夫听着这番话却想：夏天对于雪人来说可不怎么好吧！

在艾伦戴尔王国，汉斯正在努力让大家保持冷静。来访的贵宾中有一位公爵，因为被困在这冰天雪地之中，他表现得非常愤怒。

这时，安娜的马独自回来了。"安娜公主肯定遇到麻烦了！"汉斯高声喊道，"我需要有人跟我一起去找她！"

公爵说他的手下可以加入寻找公主的队伍中。

　　此时此刻，安娜发现通往山顶的小路越来越陡峭了。
幸好雪宝找到了一行冰做的台阶，这道台阶可以直接通
往爱莎的冰雪宫殿。

　　当他们沿着台阶走到顶端，安娜不禁被眼前的景象深
深震撼。"哇！"她睁大眼睛倒吸一口气道，"这个冰
雪宫殿可真华丽啊！"

进了宫殿，安娜连忙奔向姐姐。可看到安娜，爱莎却高兴不起来。她担心自己的冰雪魔法会又一次伤害到安娜。

"安娜，你快离开这里！"爱莎催促道，"我会给你带来危险的。"

安娜解释说艾伦戴尔王国此刻急需爱莎的帮助。王国被冰雪覆盖，没人知道怎样才能化解危机。听到这话，爱莎更加害怕了。她只得承认她不能帮助王国恢复原状，因为她根本就不知道该怎么控制自己的魔力！

安娜确信只要她们能够在一起，就能想出解决的办法。可是爱莎却非常沮丧，心中充满挫败感的她又一次失去了理智，高声喊道："我不能！"

　　一道寒光"嗖"地穿过屋子，击中了安娜的胸膛。

　　克斯托夫赶紧冲过来，抱住了安娜。"我想我们还是先离开这儿吧！"他说。

　　"不走！她不走我也不走！"安娜倔强地坚持道。

　　"你赶紧走呀！"爱莎颤抖着流出了眼泪，施展魔法变出了一个巨大的雪怪。

"嘿，你给我做了个弟弟！"雪宝高兴地说，"我要给他起名叫棉花糖！"

爱莎命令雪怪将安娜和她的同伴们护送到山脚下。可是，被安娜用雪球击中之后，雪怪改变了主意，决定追上他们，好好儿教训他们一番！

安娜他们上气不接下气地跑到了悬崖边，在峭壁上系好了绳子，顺着绳子往下爬。可随后赶到的棉花糖用力往上拉绳子，想把他们拽上来。在这千钧一发之际，安娜做了唯一她能想到的事——把绳子割断！

　　幸好悬崖下的雪层又厚又软，安娜、克斯托夫和雪宝才没有摔坏。可是，安娜却遇到了大麻烦——她的头发又开始变白了。

　　"是不是因为她用魔法击中了你？"克斯托夫问道。

克斯托夫非常担心安娜，突然，他想到一个办法。"我们得去见见我的朋友，"他说，"他们肯定能帮上忙！"

在冰雪宫殿里，爱莎发愁地走来走去，努力思考着怎么才能帮助艾伦戴尔王国度过危机。可她越想越悲哀，而魔力就愈发无法控制，吹向艾伦戴尔王国的暴风雪也就越来越大……

　　夜幕降临，克斯托夫带着安娜、雪宝和斯特来到一片遥远、偏僻、布满岩石的山谷里。克斯托夫说他的朋友们就住在这里。

　　突然，安娜觉得有几块"岩石"正在活动！

　　"是地精！"她喊了起来。

　　克斯托夫已经和地精们相处了很久，善良的地精就像他的家人一样。他知道地精有办法帮助安娜。

看到安娜，地精们很兴奋，他们还以为安娜是克斯托夫的女朋友呢！地精们觉得他们俩简直是天造地设的一对！

这时，一位上年纪的地精发现安娜受伤了。他说爱莎的冰雪魔法击中了安娜的心脏，安娜会在一天之内冻成冰雕。但拯救安娜并不是没有希望。"真爱可以融化你心中的坚冰。"他用浑厚的声音说道。

雪宝和克斯托夫决定送安娜回家。安娜爱上的汉斯王子肯定能够用一个真爱之吻解除魔法！

与此同时，汉斯率领搜索部队赶到了冰雪宫殿。雪怪棉花糖想要保护女王，可士兵们却不断地用弓弩对他射击。

士兵们冲进冰雪宫殿，公爵的手下径直奔到爱莎面前，想要抓住她。

爱莎的担忧和恐惧在一点一点增长，她的魔力也随之增强。她施展魔法造出了一面硕大的冰墙，把公爵的一名手下推到了阳台边上，接着又迅速释放出无数尖锐的冰柱，把公爵的另一名手下钉在了墙上。

这时，只听汉斯喊道："别真的让自己变成他们想象中的怪物啊！"

爱莎这才意识到，自己的魔法已经施展得太离谱了。她赶紧放下手，公爵的手下才得以逃命。

可他们刚刚安全，就又举起弓弩瞄准了爱莎！汉斯赶紧冲过去，使劲推了一把弓弩，箭射在了吊灯上。吊灯瞬间从天花板上坠落，砸在了爱莎身上。爱莎一下子晕了过去。

爱莎醒来之后，发现自已被锁在冰冷的城堡牢房里。她朝窗外望去，惊恐地发现她的魔法竟然给王国带来了这么严重的灾难。

爱莎连忙问汉斯安娜在哪儿，汉斯告诉她，安娜迷失在大雪中，已不知所踪了。

　　克斯托夫、雪宝正带着安娜飞奔下山。克斯托夫急坏了，很明显，安娜变得越来越虚弱了。

　　他们终于来到城堡门口，克斯托夫将安娜托付给了皇家女仆。就在撒手的一刻，克斯托夫猛然发现自己是如此担心安娜，可是他心理清楚，只有安娜的真爱——汉斯才能拯救她的性命。

女仆们赶紧带安娜来到图书馆，汉斯正在那里与高官们商谈。

安娜发着抖，上气不接下气地向汉斯讲了爱莎的冰雪魔法是如何击中她，只有汉斯的真爱之吻才能拯救她的事情。

"只有真心爱我的人才能救我！"安娜急切地说道。

但是汉斯的反应却出乎意料。"哦，安娜，"汉斯冷笑了一声，"那你得先找到真心爱你的人才行啊！"

汉斯用水浇灭了壁炉里的炉火，对安娜说，自己之所以要娶安娜，完全是为了夺取艾伦戴尔王国的皇权。现在他唯一要做的，就是除掉爱莎。

"夏天会回来的，王国也一定会是我的！"汉斯的脸上露出了狰狞的神色。

　　"你休想！"安娜刚要反抗，就一下子瘫倒在了地上，寒冰正在她的身体里蔓延开来，她觉得冷极了。

　　安娜被锁在图书馆里，这时她才意识到自己是多么草率。为了寻找爱情，她不但毁了自己，还毁了姐姐。

　　汉斯来到高官那里，摆出了悲痛的表情，告诉他们爱莎杀死了安娜。他还不停地编造着谎言，说着安娜临死前，是如何与他互诉婚誓的。

　　"我要以叛国罪判处爱莎女王死刑！"汉斯佯装悲痛地宣布道。

　　在牢房里，爱莎唯一想到的就是要想办法赶紧离开艾伦戴尔王国，只有这样才能确保大家不会受到她魔法的侵害。由于爱莎太失望、太难过了，她的魔法竟然冻住了整个牢房。爱莎赶忙砸开冻脆的铁栏杆，从窗子逃了出去。

就在此时，克斯托夫正朝着山顶走去。而斯特却不停地拉住他，让他停下，因为他知道，其实克斯托夫才是真心爱着安娜的那个人！

突然，克斯托夫看到艾伦戴尔王国上空刮起了猛烈的暴风雪，他赶紧掉头朝王国跑去，他要去救安娜！

　　当安娜已经失去希望的时候，雪宝及时赶到了。小雪人重新点燃壁炉里的火焰，温暖安娜快冻僵的身体。而令安娜担心的是，雪宝的身体却在一点一点融化。"有些人值得我为她融化！"雪宝说道，"不过现在我还不能融化，我们还有任务没完成呢。"

雪宝望向窗外，他看到克斯托夫正朝这边赶来。雪宝也意识到，克斯托夫才是安娜的真爱，只有克斯托夫才能拯救安娜！

　　雪宝帮助安娜逃出城堡，安娜看到克斯托夫正穿过冰冻的海湾。如果她能够及时来到克斯托夫身旁，她就能够在冻成冰雕之前得救了！

　　可是，在这关键的时刻，安娜又看到了另一幕令人震惊的场面：就在几步开外，一艘破败的船边，汉斯正手持利剑，准备杀死爱莎！

安娜毫不犹豫地奔向了姐姐，用尽全力，猛地冲到她身前，伸手去挡汉斯劈下来的利剑。就在这一刻，安娜化作了冰雕。汉斯手起剑落，一下子劈在了她身上。

只听"当啷"一声，宝剑碎成了几片。

爱莎愣住了，她伸开双臂，紧紧搂住了变成冰雕的妹妹。"哦，不要！安娜！"她抽泣起来。

就在这时，奇迹发生了：安娜竟然开始融化了！

"你宁愿为我牺牲自己？"爱莎惊讶地问。

"因为我爱你呀，姐姐。"安娜微笑着回答。

"一个真正爱你的人真的可以融化你心中的寒冰呢！"雪宝在一旁说道。雪宝的这句话，让大家恍然大悟。

这时，爱莎也明白了只有爱的力量才能带回夏天。她举起双臂，施展魔法，积雪果然渐渐消融。艾伦戴尔王国的居民都热烈欢呼，他们为发生着的一切感到欣慰。

可是，雪宝也慢慢融化了！爱莎赶紧施展魔法，为他制造了一小片暴风雪，这样他就能永远陪伴着两姐妹了！

　　看到安娜还活着，汉斯很是吃惊。"可是……安娜，"他说，"爱莎不是冻住了你的心吗？"

　　"这里唯一冷若寒冰的心就是你的！"安娜说着，一拳把汉斯打进了海里。

夏天回来了，来访宾客的航船都已起锚，艾伦戴尔王国又恢复了往日的美丽——不过，城堡的大门从此将永远打开，爱莎女王和安娜公主再也不会与世隔绝了！

安娜送给克斯托夫一架新雪橇，还帮他配备了雪橇上的全部装备。可克斯托夫一点儿也不着急离开，因为，安娜刚刚送给了他一个惊喜之吻！

　　爱莎用魔法在城堡里造了个溜冰场，并且欢迎王国里
所有的民众过来溜冰。大家和爱莎女王、安娜公主一起愉
快地溜着冰，享受着欢乐自由的时光。

　　就这样，艾伦戴尔王国又变回了原来那个平和宁静、
充满欢笑的幸福国度！